KB264986

★이 작품은 픽션입니다. 실존하는
인물, 단체, 사건과는 일절 관계없습니다.

SAKAMO

사카모토데이즈

vol. 16

해후

Yuto Suzuki

SAKAMOTO DAYS 사카모토데이즈 등장인물소개

사카모토 타로

전직 최강의 킬러. 현재는 한적한 동네에서 '사카모토 상점'이라는 개인 상점의 점장으로 있다. 말이 없으며 대식가. 포동포동하게 살이 올랐으나 암살 기술 등 킬러로서의 스킬은 건재하다. 아내와 딸을 지극히 사랑한다. 전직 ORDER 출신이다.

신

사카모토의 옛 부하이며, 다른 사람의 마음을 읽을 수 있는 초능력자. 사카모토의 도움을 받은 후 가게의 일원이 됐다. 사선을 뚫고 '미래를 읽는' 능력을 얻었다.

마시모 헤이스케

'도탄'을 자유자재로 다루는 유능한 스나이퍼. 사카모토 상점의 일원이며, 머리는 그다지 좋지 않지만 좋은 녀석. 파트너인 앵무새 피스케와 함께 다닌다.

사카모토 아오이 & 하나

사카모토의 인생을 바꾼, 소중한 아내와 딸.

ORDER [오더]

살연 직속 특무부대이자 최고전력. 킬러 업계의 질서를 유지하는 존재.

✖의 조직 [슬러의 조직]

살연 소속 살인청부업자를 표적으로 삼는 수수께끼의 조직. 그 전모와 목적은 베일에 싸여있다.

STORY

최강의 킬러가 있었다——. 그 이름은 사카모토 타로. 모든 악의 조직의 공포의 대상이자 모든 킬러들의 동경의 대상이었던 그가 어느 날 사랑에 빠졌다!! 은퇴, 결혼, 딸의 탄생, 그리고—— 사카모토는 살이 쪘다!!

동네 상점을 운영하며 평화로운 나날을 보내던 사카모토에게 갑자기 현상금이 걸린다. 현상금을 건 남자의 이름은 살인청부업자 살인을 자행하는 '✖(슬러)'. 진상을 파헤치는 과정에서 사태는 사카모토 상점, 살연, 그리고 ✖(슬러)의 삼파전이 된다….

태국에서 보인 ✖(슬러)의 말과 행동은, 고인이 된 리온 그 자체였다!! 이중인격일까, 아니면…?

귀국한 사카모토는 카시마에게서 ✖(슬러)의 노림수가 '세기의 킬러전' 전람회장에서 살연 회장을 살해하는 것이라는 얘기를 듣고, 그 계획을 저지하려 결심한다. 그런데 킬러전 티켓은 매진된 지 오래고, 티켓 구하기가 극도로 어려웠는데…?!

SAKAMOTO DAYS vol.16
사 카 모 토 데 이 즈

CONTENTS

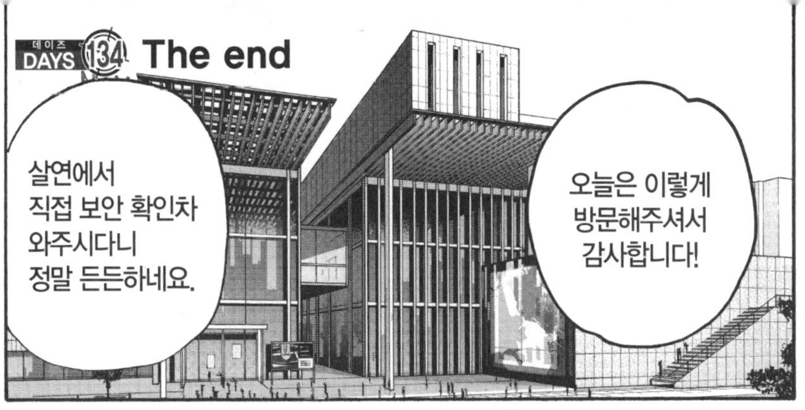
살연에서
직접 보안 확인차
와주시다니
정말 든든하네요.

오늘은 이렇게
방문해주셔서
감사합니다!

아뇨,
그게 저희
일인걸요.
게다가…

요즘엔
흉흉한
사람들도
많으니까.

이쪽이
1층
메인 홀
입니다.
와—
넓네요~.
DAYS 134 The end
국내… 아니,
세계적으로도
찾아볼 수 없는
최고 수준의
경비
시스템이죠.
전람 기간 중
미술관 스태프들은
모두 살연 직원
혹은
플로터 분들이고,
야간에는
경비원을 배치하여
적외선 경비 시스템 등을
통한 감시 및 순찰을
시행할 예정입니다.
전람 기간 중에는
감시카메라 및
경비장치를 통해
24시간 기계경비
시스템으로
집중 관리하며,
다루는 도구나
기재 모두
나사 하나까지
해체해서
검품 후 입관.

경비 시스템은 어떤 식인가요?
과거에는 15미터에 이르는 가라비토 대성당 벽화 전시나 현대 예술가 야스이 선생님의 대형 설치미술도 전시됐었답니다.
관람객으로 분장해 수상한 사람이 잠입할 가능성은?
당연하지만 입장 시 면밀히 신체 체크를 합니다. 최신 금속탐지기로 몇 센티미터밖에 안 되는 금속까지 탐지하죠.
걱정 마시길.
즉,

티켓을 지닌,
신변이 완전히
보증된 사람이
아니고서는

절대
내부로
들어올 수
없습니다.

그렇다는데,
사카모토.
어떻게
잠입하려나…?

JCC NO.22147 TARO SAKAMOTO
음~…

변장
중.
엥….

안 되겠네요.

어째선데!
그 전설의 킬러
사카모토 타로가
쓰던 진품
콜트
거버먼트라고!
히익!
아니,
왜 안 된다는
건데?!

어떡하지?
사카모토의 총을
출품해서
내부 관계자로
잠입하려던
계획이….
… 애초에

기본적으로
예정에 없던 출품은
받고 있지 않습니다.
출품목록이나
전시품 검수 등도
이미 다 마친
상태고요~.
으음…

전설의 킬러 사카모토 타로의 콜트 거버먼트는
이미 출품되어 목록에 있습니다만…?
뭐어…?!
출품자가 누군데?
무례하군요! 살연의 감정서를 받았으니 틀림없습니다~!
그럴 리가 있겠냐! 그건 짝퉁이라고. 아니, 진짜 사카모토 씨가 여기에…
웅얼…
……이해 못 하시는 것 같은데,

뻐
억
이대로 계속
우기시겠다면
그에 맞는
대처를
하겠습니다.
따악
신속히
그 조잡한
모조품을 들고
돌아가시죠!
뭐, 해보자고?
사카모토 씨를
모욕한 죄를
뼈저리게…
앙?
됐다.
가자.
어떡하죠…?
이대로 나가면
전람회에
잠입할
방법이….
무슨 방법이
있을 거다.
퍼엉
어이쿠.

아마네,
뭐 해~?
가자!

응.

목록이!

죄송합니다.

하,
나 참!

삑!

坂本商店

더워.

하~
열 받네.

누굴까요?
짝퉁을
출품한 게.

꼬깃

타이밍이
너무 절묘해.
누군가 우리를
방해하려는
건가…?
출품자만이라도
알 수
있으면….
뭐 하나?
아마네.
깍 깍
팔랑
세기의
킬러전
출품목록.
아까 훔쳐봤거든
베꼈어.
나왔다!
순간 기억!
너 진짜
장난 아니다
~~~~~!
오오오
신이
그 남자 마음을
읽어냈으면
더 빨랐을걸?
암튼
짝퉁 자식의
이름은…
~~~~~

구려…….
들어본 적 없는 이름이네요.
출품자 'The end' …?
설마 새로운…?
슬러가 있던 고아원 '알 카마르'에도 없던 이름인데.
신! 점장님! 잠깐만요!
No.
전설의 킬러 사카모토 타로의 애총
콜트 거버먼트
출품물
444
내용
The end
출품자
어느 킬러의 초
출품물
그림
내용
Blue8
출품자
우에노의
출품물
446
내용
그림
출품자
Bl

어떤 티켓이든 구할 수 있다! 만물
만물티켓 (암표)
홈
가이드
151건 중 1~20건 표시
상세표시
NO IMAGE
가격 1,000,000엔
입찰 건수 0
세기의 킬러전 Japan
◇전시회◇일본◇킬러전 ◇무기, 병기
남은 시간 00:
세탁기전 2매
가격 200,000 엔
입찰 건수 6
뭔데. 지금 바쁜~…
이거 봐봐!
킬러전 티켓?! 버젓이 팔잖아!
우탕이 가르쳐준 암표 옥션 사이트야.

전자 티켓에 낙찰받은 구매자 정보를 바꿔 기재해 판다는 것 같은데, 잘은 모르겠네.
낙찰 최저가 100만?! 비싸!
범죄 냄새가 풀풀 나는군….
근데 지금은 이것저것 따질 때가 아니야….

〈세기의 킬러전〉
전자티켓
낙찰최저가격   1,000,000
입찰
딸칵
현재가격(엔)   낙찰희망자
1,000,000   @SAKAMOTO
팟
좀
비싸지만
어쩔 수
없지!

세기의 킬러전〉
전자티켓
낙찰최저가격   1,000,000엔
입찰   모든 입찰 표
현재가격(엔)   낙찰
10,000,000   @Th
1,000,000   @S
팟

남은 시간
3분….
아슬아슬
했네요~.
100만 엔은
가게 돈이야?
아오이 씨,
알면
화내겠지
~~~?

응…?
~~~

누가
1천만 엔으로
올렸어!!
어디 사는
부잔데
그래?!
이름을
봐!
@The end
!!!!
The
end…!!
또
이 자식이야…?!
바꾸자.

2천만 엔...
이요...?
사카모토 씨?!

단숨에
올려서
전의를
잃게
만든다.

낙찰최저가격
모든 입찰 표시
낙찰희망자
입찰
현재가격(엔)
@SAKAMOT
20,000,000
@The
10,000,000
딸칵
팟

1억
@The end
팟
낙찰희망자

이제
그만하자,
사카모토!
아무래도
미친놈
같아!

1억...
...??!!

응?

막판까지 가서 낙찰받겠다.

더 올리시 게요?!

마감 10초 전에 알려줘.

루!

예입.

뉴와악

10초

9

현재가격

1억 1천만

1억

@SAKAM

파

6

현재가격 (엔)

낙찰의

@The

8

7

가자아아아아! 이렇게 나오면 녀석도….

흠칫

@S

54 1억 2천만

1억 1천만 파앗

1억

아아아악
여기서 1억 2천….
나와 스피드로 겨룰 셈인가.
사카모토 씨의 속도를 쫓아온다고…?!
진짜 뭐 하는 놈이지? 이 녀석…?!
05.00
04.00
03.00
02.00
2
1…
이겼다…
현재가격 (엔)
@SAKAMO
5억
4억9천만
4억8천만
0!
3억5천만   @SAKAMOTO
3억2천만   @The_end
3억1천만   @SAKAMOTO
3억   @The_end
2억9천만   @SAKAMOTO
2억8천만   @The
2억7천만   @SAK
2억6천만   @The
2억5천만   @SAK
2억4천만   @T
2억3천만
2억2천만
2억1천만

아아아…
어렵게 모은
저금이이이.

…!!

대체
어디서….

워더PC
(내 노트북)….

대박.
막대가
말을 하네.

사카모토
자식…!

ORDER 카미하테
스나이퍼

하지만…
그 녀석만큼은
절대…

전람회에
오게 해선
안 돼—….

대박.

네.
새 노트북
사내.

DAYS 135 카미하테 ①
몇 년 전
완전히 포위됐군.
10명은 되겠어.
하나 같이 실력이 상당해. 이거 셋 다 안 다치고 귀환하긴 힘들겠는데.
아~~아, 사카모토가 지름길로 가자고 하는 바람에 이렇게 됐잖아~.
아니, 네가 차멀미를 하는 바람에 시간을 잡아먹어서 이렇게 된 거다.

작작 좀
해라,
이것들…
덜
썩
사카모토가
더 적임자
같은데~~~.
네가
미끼 역할이
돼라.
효우가
쏜 거야?
아니,
내가 한 게
아니야.
역시
리더.
아아,
그럼
이겼네.
카미한테다.

어딘가에
있다.

한 명
당했군.
어디서
날아왔지?
쯧.
스코프가
보였어.
어림잡아
4km 너머에
있는 건물.
너무 멀어.
방금 건
우연일 테고

맞출 수
있을 리…

꽈자
엉!
어?

크헉!
타이잉
피
이잉
아잉
꽈앙
제…
젠장할…!!
오—
깔끔한데.
툭
투득

힉.
찌미잉..
타양
기잉
퍽
흐억.

역시 스나이퍼가 있어야 해~.
실력이 좋군…
누가 쐈어! 루! 안쪽으로 피해!
사카모토 씨! 저희도 일단…….
피해도 소용없어.
네?
내 노트북을 망가뜨리다니….

놈은 ORDER의 일원 카미하테.
유효 사거리는 8km.
8km?!!
그런 허무맹랑한...
살연 사상 최강의 스나이퍼다.
일단 놈의 표적이 되면 피할 방도가 없어.

The World's Most Influential People
KILL TIME
THE TIME 100
그 이름... 들어본 적 있어. 장거리 저격 기네스 기록 보유자에...
일본인 중에서는 유일하게 '세계에서 가장 영향력 있는 100인의 킬러' 안에 들었다는….

…! 그런 놈이 왜 이제 와서 사카모토 씨를……

모르지.
티티
양
으악!!
영업방해도
이런 방해가
없군….
굿모닝
뉴스
가상캐스터
슈퍼 하레코
팔
랑
!!

어라?!
빗나갔어….
치익
놈에 대해 알고 있는 건 은둔형 외톨이에 여자를 좋아한다는 것 정도다.
이 틈에 비밀통로를 지나 창고로 가자.
굿모닝 뉴스
기상캐스터

뷰우우우우
'여자'를 좋아하는 게 아니거든?
'기상캐스터'를 좋아하는 거다, 멍청아!
카미하테는 독순술(讀脣術)을 쓸 수 있다.

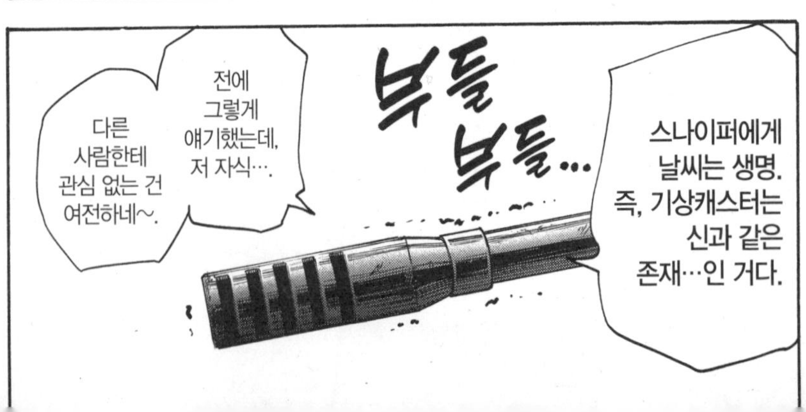
스나이퍼에게 날씨는 생명. 즉, 기상캐스터는 신과 같은 존재…인 거다.
부들 부들…
전에 그렇게 얘기했는데, 저 자식….
다른 사람한테 관심 없는 건 여전하네~.

첫 번째 공격이 빗나갈 수 있을까?
근데… 한 가지 의문인 게 그런 엄청난 저격수의
고오오
아마 녀석 나름의 경고겠지.
어떡할래, 사카모토?
물을 것도 없지.
'이 이상 킬러전에 관여하면 봐주지 않겠다', 그런 걸까요…?
오오오
잠깐… 상대는 ORDER라고요, 사카모토 씨…
그 김에 킬러전 티켓도 뺏는다.
카미하테를 쓰러뜨린다.

빵!!
옹!
!!
응?
푸슉
이런.
펑크 났나 봐.
휴청
쾅
우오오
오오오.
브레이크
밟아도
늦었…
꽈

덜컹
덜컹
쳇…….
철커덕

사카모토
씨!!
오른팔을
당했군….
….

탓
꽉
피겅!
坂本商店
사카모토 씨,
얼른
벽 쪽으로…!
미안하게
됐다.

ガキィ
!!

…!
헤이스케
…!!
괜찮아?
타로!
그래.
나이스
타이밍이다.
헤이스케…
너야말로
괜찮냐?
그…
괜찮아.
문제없어ー!

헤이스케,
힘내라,
타로, 신,
아마네.
미안한데―…

니 같은
찌끄레기가
우리 생사에
1밀리라도
영향을 줄 거
같나?

죽일 각오도
없는 새끼가
어중간하게
어딜 끼어들고
난리야?

?!!
이번엔
나한테
맡겨주라.

용서할 수
없을 것
같아서
그래…!
이대로라면
내가
살아남은 걸

야야, 상대는
ORDER라고!
너 인마,
지금 막 나가려…
….

여긴 내가 맡을게.
나한테 쐈어….
저 녀석한텐
아무 짓도
안 했는데….
역시 밖은
위험해
~~~….
부들 부들 …
저런….
~~~

그만
하세요.
부웅
부웅

너 혼자…
카미하테를
상대하겠다니….

뭔 생각으로
그러는 거야,
헤이스케!

나 말이지,

태국에서
돌아온
뒤로

사격 연습
중에
한 발도
제대로 맞추지
못하고 있어.

!

DAYS 136
카미하테②

잘 설명은
못 하겠는데,
여기서
물러서면

난 평생
스나이퍼로서
글러 먹을 것
같은 느낌이
들어서
그래…!

헤이스케…

그렇다고
자포자기한 건
아냐.

아앙?

단순히
이 넷 중에서는
내가 제일
승산 있다고
생각하거든.

과신은
위험하다,
헤이스케.

헤이스케가
이렇게까지
말하는 데에는
이유가
있을 거다.

기다려,
신.

?

아니, 방금
상상 속에서
때리셨잖아요.

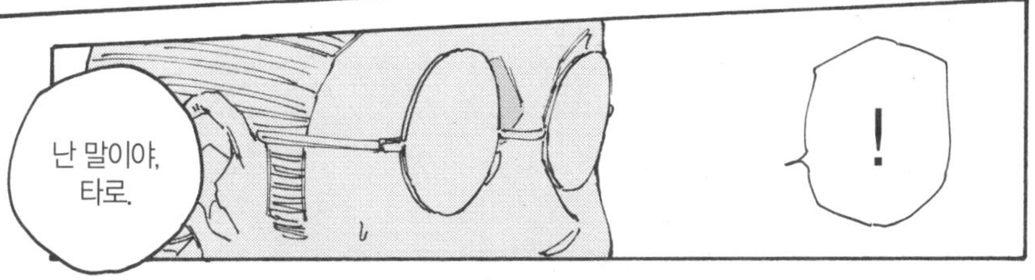
나보다
실력 있는
스나이퍼와는
싸워본 적
없다고!

과신해서가
아냐.
타로가 전에
얘기했잖아.

난 말이야,
타로.

!

너희들
말이라면
믿거든!

솔직히
나 스스로에
대해서는
별로 자신이
없는데

이걸
입고 가라.
주
섬..
......
헤이스케.
무거워…!
뭐야,
이건?
사카모토 상점
특제 방탄조끼다.
어떤 공격이든
한 발은
막을 수 있어.
묵
부들
부들
꺽
딱 한 벌 있는
시작품인데
네게 주지.
말했지만,
같은 자리에
두 발 이상은
맞지 마라.
고맙다,
타로.

그럼!
죽지 말고, 헤이스케!
사카모토 씨, 요새 들어 과보호시네요….
걱정되니까 따라가자.
아이가 생기면 너도 그렇게 돼.

우린 이제 뭘 하지?
…
응?

이제야
튀어나오나
했더니…

장소를 옮긴
카미하테.

뿔뿔이 흩어져
교란하려는
작정인가.

근데
그 사카모토가
팀플을?!
안 어울려~!

뭐냐고.
그 녀석만은
나처럼

그 녀석

솔플일 줄
알았는데…
응?

두리
번

두리
번

내가 쏜
탄피…?

어딜
보는 거야,
저 녀석?

팅
땅

무서워~~. 어디서 날아올까…?
까딱 까딱
타아앙
제이앙
선전포고인 셈인가……?
저딴 폐급 자식이 싸움을 걸어올 줄이야.
불들.. 불들
일단 저 녀석부터 죽여두자….

철컥

앙
!
헤이…
!

찾았다…!
저 자식…!
당했다!

내가
헤드샷을
노릴 줄 알고
점프했어!

일부러
몸통에
맞은
거야…!

방향과 각도를
정확히 재기
위해…!

텅

쯧,
또 움직여야
하냐고….

헤이스케 녀석…
어떻게 카미하테가
노릴 부위를
알았지…?

스나이퍼는
보통 몸통이나
다리를 노려.

만에 하나
빗맞는다 해도
몸 어딘가를 맞출 수
있으니까.

하지만
실력에
자신이 있는
스나이퍼는

툭 툭
반드시 머리를 노리지.
더럽게 아프네~
그럴 줄 알았어.
알아, 피스케. 안 놓친다구!
삐!
철커덕
중얼 중얼
그보다 머리 같은 걸 노리지 않아도 충분히 죽일 수 있거든…?!
아니, 방금 그건 연습 같은 거였거든?
본 실력을 발휘한 게 아니라고.
저 자식, 기어오른단 말이지.
건방지게
그럴 줄 알았다고…?
빠 꼼

까앙
우왜!
털그럭
!

쾅
타
앙
끼
앙

콰쾅
콰
위험…

쿠웅
……윽!!
헤이스케!!

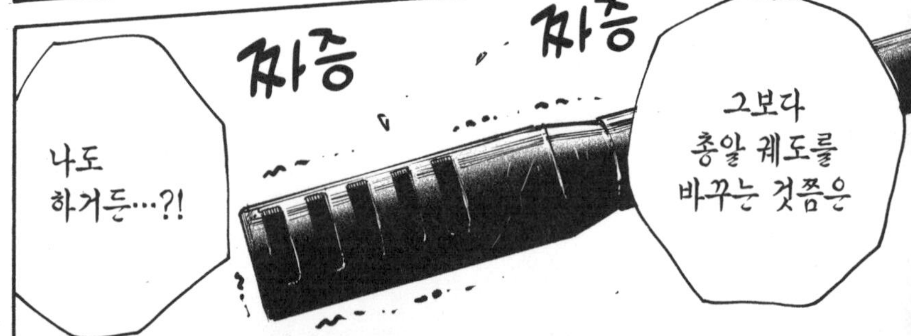
도탄
(跳彈)
…?!
어설퍼!
아직
위치 특정이
되지 않았어…!
젠장…!
진짜
눈엣가시인
자식이야…
괜히
쓸데없는
폼이나
잡고…….
나도
하거든…?!
그보다
총알 궤도를
바꾸는 것쯤은

키잉
쐐왁
!!
와장창
으아아악!
타잉

키아악
키야악
?!!
오오악

타이어의
회전을
이용해…

총탄을
휘게
했어…!!

미안,
헤이스케.
말하는 걸
깜빡했다.

큭…!

카미하테는
장거리
저격에만
능한 게
아니야.

놈은
한 발의 총탄으로
주위 환경 전부를
컨트롤하는

궁극의
은둔형 외토…
저격수다.

…으.

내 프라이드를
건드리는 놈은

누구든
안 봐줘.

카미한테
너무 센 거
아냐?

어떡할래,
헤이스케...

DAYS 137 신뢰
놈은
한 발의 총탄으로
주위 환경 전부를
컨트롤하는…
세상에는
이렇게
엄청난 녀석도
있구나.
내가
이길 수
있을까?!
이런
실력자를…?
애당초
카미하테는
왜 사카모토 씨를
노리는 거죠…?!

몰라.
원한을 산 기억은
없는데.
사카모토 씨,
매번
그러시거든요….
지금까지
놈의 행동은
전부 킬러전과
관련된 거였잖아.
응?
놈의 목적은
사카모토를
죽이는 게
아니라…
사카모토의
킬러전 잠입 계획을
막고 싶은 것뿐인 게
아닐까…?
!
사삭
스톱!

스나이퍼는 장소를 휙휙 바꿔대니 귀찮군….
놈의 사고를 특정해냈습니다. 저 건물이에요!
그러려고 뛰어다닌 거였어?
피
잉
MiON MiON
난 완벽한 스나이퍼
응…?
편리한 놈이군….
갑자기 설명이 시작됐는데요….
그때 사카모토만 나타나지 않았더라면…!
─가 될 수 있었다.

쉬오 오 오 오··

9년 전

날씨는 쾌청,
기온 28도,
습도 11%.

90도
측풍 15mph···.

표적은
존 페이치,
직업
화가 겸
킬러.

살해한 소녀의
피, 눈물,
뇌척수액을 섞어
그림 도구로 쓰는
변태.

으웩

목표까지
대략 8km.

이 임무에
성공하면
난 기네스북에
오르고

지켜봐 줘,
슈퍼
하레코짱
······.

SUPER HERO

명실상부
세계 최고의
스나이퍼가
된다···.

웅

어어?!

뭐 하는 거야, 저 신입…. 비켜…!
타깃의 움직임에 변수가 생기잖아…!
뛰
앙
팟
제장…! 생각지 못한 해프닝이 있었는데,
어떻게 됐지…?!
털썩

이듬해
〈킬 타임지〉가
선정하는
'가장
영향력 있는
100인의
칼럼'에 든
최초의
일본인이
되었다.

나는
그 공적을
칭송받아
장거리 저격
기네스
기록으로
인정.

내가 최고의
스나이퍼임을
세계적으로
인정받은
순간이었다.

캔버스에는
탄흔이 남아있으며,
죽는 순간이
그림에 기록된
그야말로
기적의 유작.

그 유명한
킬러 화가
존 페이치가
죽기 직전
그리고 있던
그림이
전시된다.

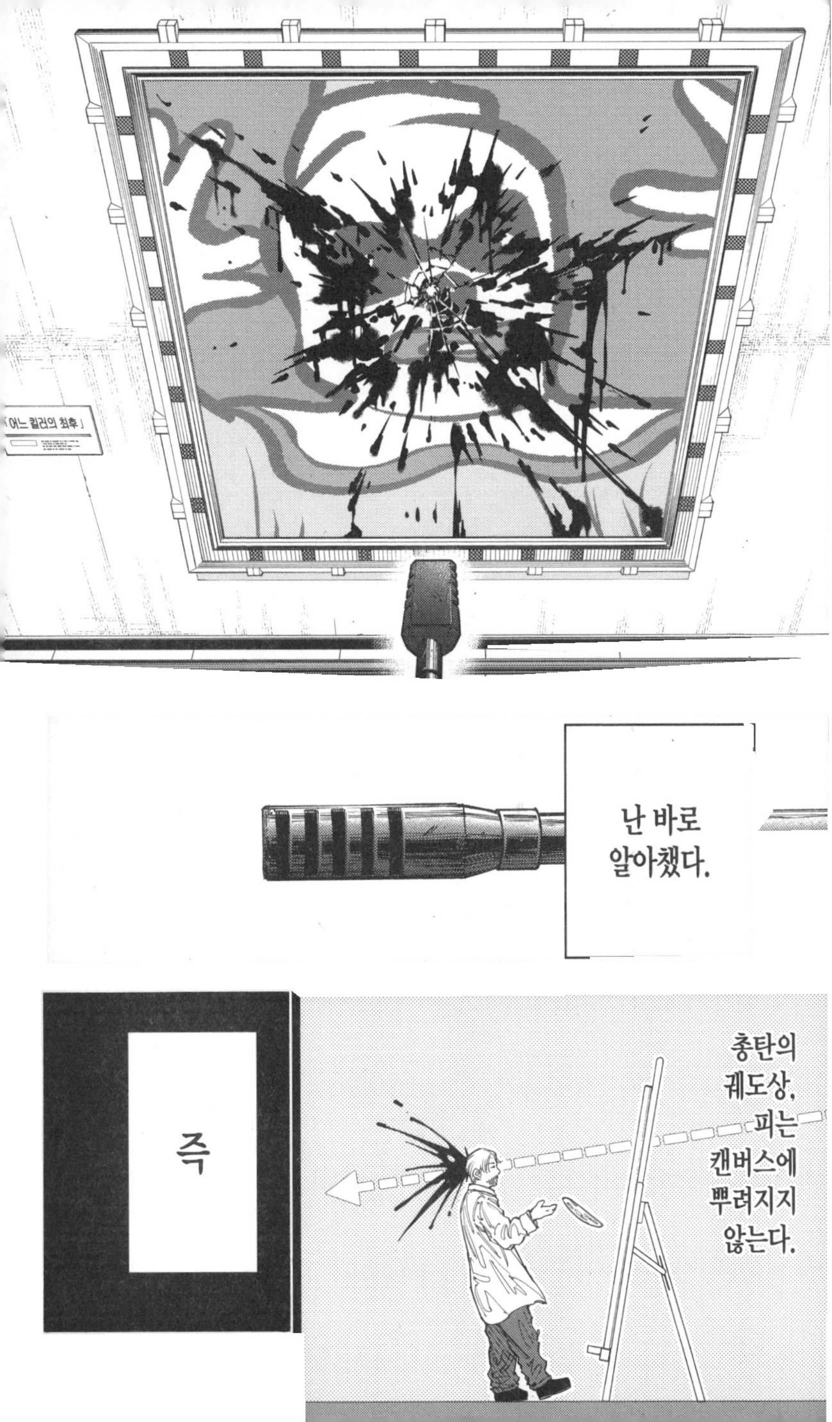

「어느 킬러의 최후」

난 바로
알아챘다.

즉

총탄의
궤도상,
피는
캔버스에
뿌려지지
않는다.

그 녀석이
먼저
쏜 거다.
최강의
스나이퍼라는
칭호가
무너져!
내 기네스
기록이…
놈의 총에
맞은
거였다…!
내 총알이
아니라

부들
부들
그 그림을
보일 수
없어…!
사카모토에게
만큼은…

뭐— 그런 쓰잘데기없는 이유로….
이걸 프라이드가 높다고 해야 하는 거냐고….
그래서 사카모토가 전람회장에 오는 걸 갖은 수를 동원해서 막으려 한 거구나…
왜 그렇게까지 기록에 집착하는 건데?

?
아마도… 그게 증명이 되기 때문일 테지.

큭…!

응?
치익
끄아악!!
이건…
같은 스나이퍼라 그런가…?!
총알에서 녀석의 감정이 느껴진다….
괜찮아?!

팔랑
흐극!!
저격에 모든 걸 바친 사람의 총알이다…!
어? 페이지가…
젠장…!

어떤 궤도를 택하든,
또다시 일반인을
끌어들일 것만 같은
생각에 사로잡혀…!
타인과의
유대감이
있는 놈은
쓸데없는
생각을 하지.
너랑 난
스나이퍼로서의
격이 달라.
그래서는
못 이겨.
강하고 완벽한
존재일수록
고독한 거라고.
동료를 믿고
맡기는 놈들은
약해.

지금까지
아무도…
ORDER
조차

카미하테의
모습을 본
사람은
없다.

'고독하기에
강해질 수
있었다.'

그걸
증명하기 위해
놈은 그 누구보다
기록에 집착하는
거지.

!

잘 가라,
폐급 자식.

어떡하지?
어떤 루트가
최적이지?

틀렸어
────…

아니, 있어!
이렇게나 신뢰할 수 있는 길이 있잖아.

싱거웠어.

완벽한
탄도.

카미하테에게로
확실히
이어지는
유일한 길.

아영!!!
나랑
완전히
똑같은
궤도로
쐈잖아…!
저
애송이가
…!

혼자가
좋은 건진
모르겠는데…
너,
나한테
신뢰받았다.
카미하테
…!

모신나강
(에어건)을
샀다.
라이플을
쥐는 손을
모르겠어서
엄청
무겁다.

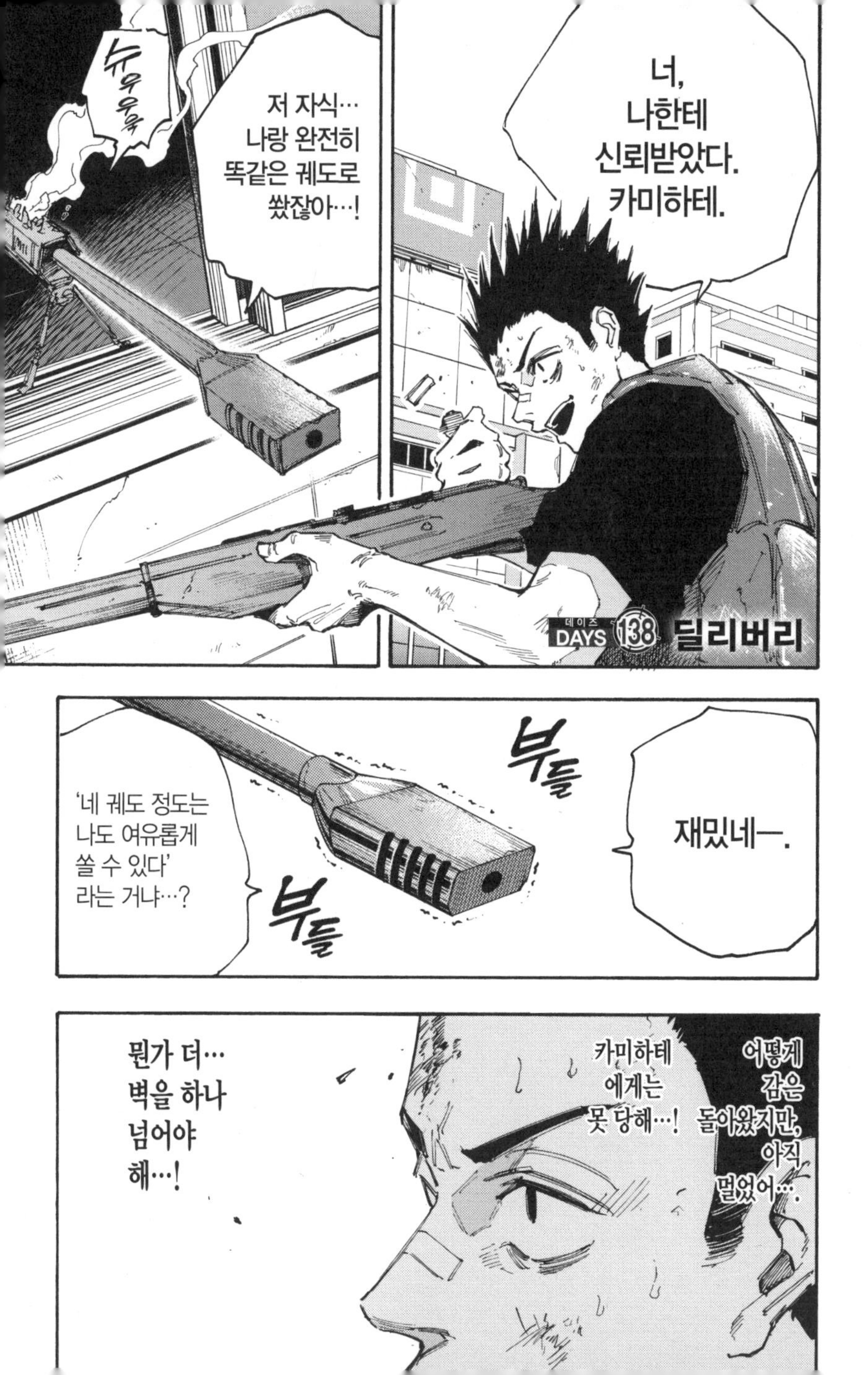

너,
나한테
신뢰받았다.
카미하테.

슈우우우

저 자식…
나랑 완전히
똑같은 궤도로
쐈잖아…!

DAYS 138 딜리버리

재밌네―.

부들

부들

'네 궤도 정도는
나도 여유롭게
쏠 수 있다'
라는 거냐…?

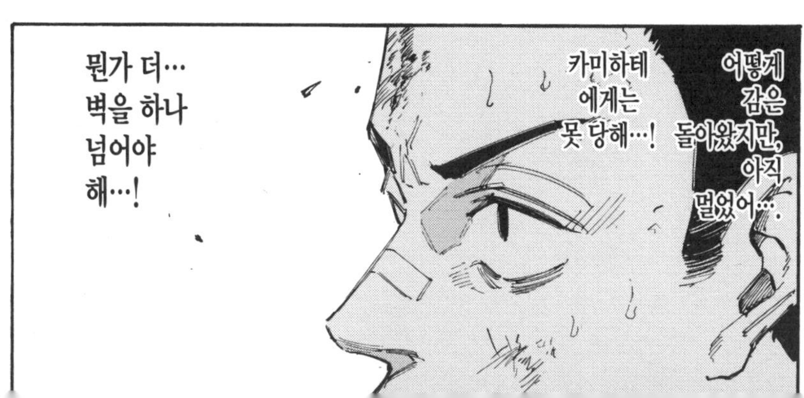
어떻게
감은
돌아왔지만,
아직
멀었어….

카미하테
에게는
못 당해…!

뭔가 더…
벽을 하나
넘어야
해…!

폐급 자식,
그럼
이것도
맞받아
쏴보시지!
삐다
빵
깡
!!
카앙
우오오?!
푸쇄아

큰일…
파직
파직
뻑!
ㅅ와악
우어!!
파직
파직
뻑
고맙다, 피스케~!
빠실
빠실

저 자식….
스코프만 있었으면 여유롭게 해치웠어.
쯧, 스코프가 없어서 빗나갔네.
위…
?!!
삐…
험해라 아아아 아아아!

뭐였지,
방금
──….
?!
방금
카미하테
같지
않았──
피스케,
괜찮아?!
어차피
또 그 어설픈
도탄이나
노렸겠지.
뭘 모르네~.
도탄이란 건
적당한 벽과
적절한 각도가
필수조건.
결국
곡예일 뿐…
사람 죽이는 데
쓸 수 있는
기술이
아니라고.

저격은
딜리버리랑
같아!

뜨거운 건
가능한 한
빨리
배달해서

클레임
나오기 전에
끝내야 해!

파
악

탕
앗

피슈욱

시험해보겠어.
아까
그 감각을
온다…!
다시
한번…!
…헉!!
께길!

탕
시옹
윙
!!
총탄을 휘게
—…

허업!!!
흑
…
으….
큭!!
크킁
옹

털써
따앙
따앙
따앙
따앙
따앙
따앙
따앙
스르륵

으!!
쿠슈
같은 자리에
두 방 이상은
맞지 마라.
아차…!
카미하테는
…?!
떨 커덩
떨 커덩
고오오…

휙…

애석하게
됐다,
폐급 자식.

어느새
….

쏘는 데에만
집중하는 게
네 문제야.

총탄을
휘게 하다니
좀 놀랐어.
아주
조금이지만….
그보다
내가 먼저
비슷한 기술을
썼고….

스나이퍼는
항상
주위 상황을
파악하면서
싸워야 해.
따땡
따땡
따땡

네가 아까
그랬지?

따땡
따땡

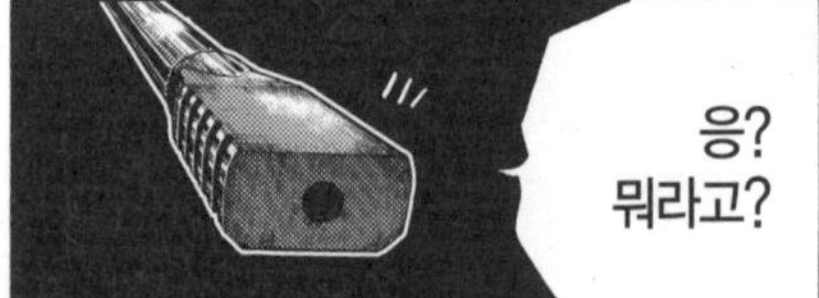

응?
뭐라고?

도탄에
필요한 건
적당한
벽과—…

이
녀석,

열차에
도탄 시킬
생각인가
—…!

축

겠냐?

젠장…!!
이
거리에서
피했
—…

끄덜
쩡
엥?

너—

끝이야.
철컥

보여줘.
드래군의 배틀
보고 싶어.
조금만 더.
굉장해
—!

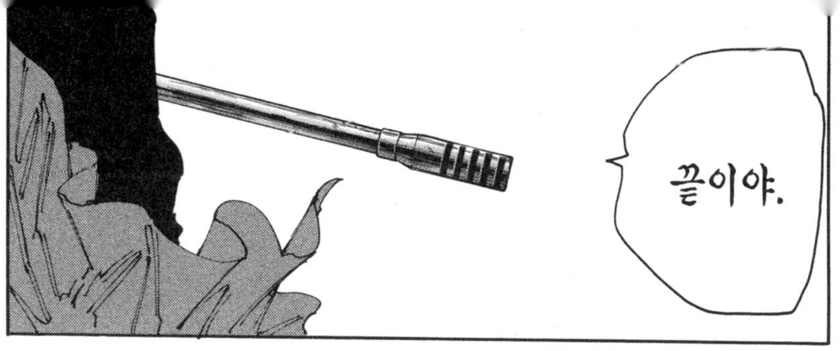

끝이야.

너——…

끝이야…
끝이라고….

DAYS 139 각별

다 끝났어어
어어어어어.

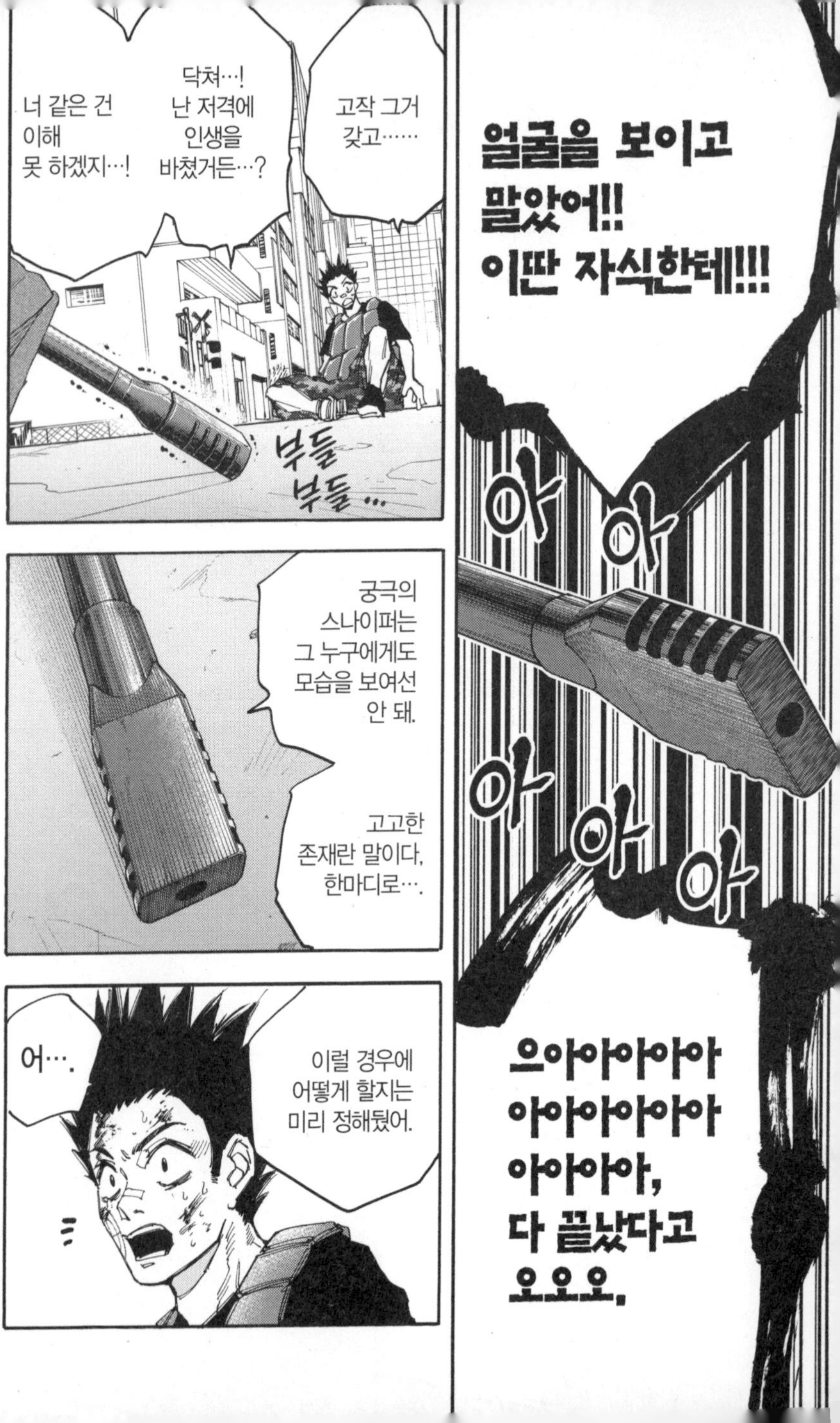

닥쳐…!
난 저격에
인생을
바쳤거든…?

너 같은 건
이해
못 하겠지…!

고작 그거
갖고……

얼굴을 보이고
말았어!!
이딴 자식한테!!!

아
아

부들
부들…

궁극의
스나이퍼는
그 누구에게도
모습을 보여선
안 돼.

고고한
존재란 말이다,
한마디로….

아
아
아

어….

이럴 경우에
어떻게 할지는
미리 정해뒀어.

으아아아아아
아아아아아아
아아아아,
다 끝났다고
오오오,

잠까……
절커덕
지 탓에 사람이 죽을지도 모르는데….
왜 안 말리는 거야, 너…?!

……．
……．

이 자식… 분위기 파악을 못 하잖아.
부들부들
각오가 대단한 것 같은데, 내가 끼어들어도 될지 몰라서….
어어?! 아… 미안….

난 너 때문에 프라이드에 상처를 입었다고!

인간적으로 사과해!! 책임을 지라고, 인간 말종아!!

에엑?!

나를 격려해!!

딱히 그렇다고 내가……

나... 솔직히 너한테 엄청 감사하고 있어!

너랑 싸우기 전까진 제대로 과녁도 맞히지 못했는데……

응?! 예상치 못한 반응….

……그렇겠지. 그럴 줄 알았어.

네 덕분에 뭔가... 벽을 하나 넘어선 것 같거든!!

뭐?! 너 설마…….

뭐?! 뭔데…?

아, 진짜.
이 자식이
뭐라는
거야…….

앙…?

하아~~
~~~~
………
………

설마
일부러…
나를 위해
싸움을
받아준
거야…?!

문뜩

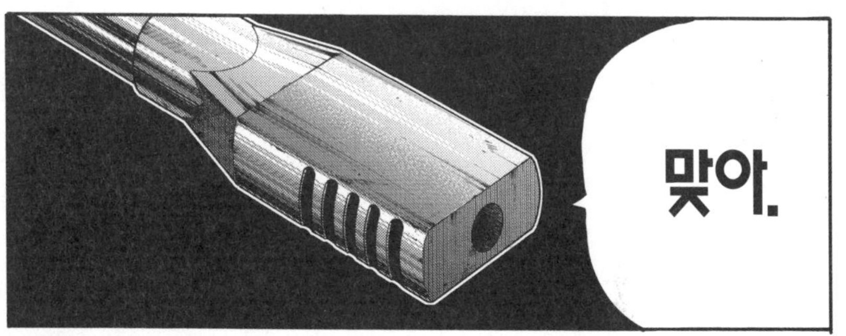
맞아.

뒤쫓아
왔는데,
저 대화에
끼어들
자신이
없어.

위험한
놈들이야.

맞아.

하~~
……
진짜

진짜야~?!
아! 그래서
막판에도
급소는
피해준
거구나?!

허어어어어억,
카미 하테!!
너 진짜 좋은
녀석이다~!
~~~~

난
지금껏 홀로
고독하게
싸워왔다.

그게
내 프라이드
였지.

근데
그랬던
내게도
이제…

사람을
받아들일
단계가
찾아온 건지도
몰라.

타로!

!

최강의
스나이퍼로서
더 높은 경지에
오를…

!

?

흥…

사카모토….

오랜만이군,
카미하테.

신기하네.
혼자가
아니라고
생각하니
마음에 여유가
생겨.

지금이라면
사카모토와
아무렇지 않게
대화할 수
있을 것 같아.

걱정 마라,
카미하테.

난
네 기네스
기록 같은 데엔
하나도 관심이
없으니까.

그러니
더는 날
신경 쓰지 마.

그니고 킬러전 티켓 줘

흥…

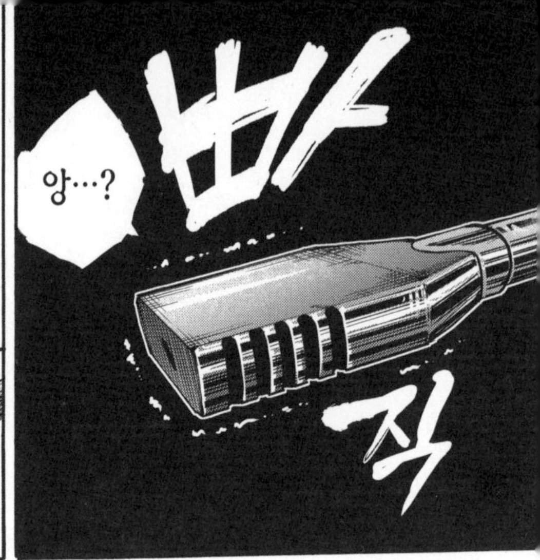
앙…?
앙빠
직

관심이 없다니,
이 자식…
어… 잠깐.
근데 네가
그걸 어떻게
알아…?
누구 때문에
내가 얼마나
괴로웠는데……
앗차
부들
부들

아니지…
이제 난
혼자가
아냐…!
됐어, 가자.
헤이스케!
이딴 뚱땡이랑
같이 있다간
스트레스받아서
조준이 틀어져!
파

미안,
오늘은
타로네랑
같이
있으려고!
다음에
또 놀자~
카미하테!
빌어먹으
ㅇㅇㅇㅇㅇ
ㅇㅇ을.
부웅
부웅

잘 가~!
하계에 내려오면 제대로 되는 일이 없어———!!
휘一악
타악
이… 이유는 모르겠지만, 주고 갔네요….
스마트폰째로…
킬러전 티켓?!
놈의 콤플렉스를 헤이스케가 없애준 거지.
!
잘했다, 헤이스케.
역시 넌 최고의 스나이퍼다.
그럴……
헤헷!
휘청

괜찮아,
드래군?!
…….
딸싹
아

대단하다,
헤이스케….
ORDER를
상대로
저렇게까지….

젠장….
왠지
단숨에 격차가
벌어진 것 같은
느낌이야….

난 옛날부터 기가 약하고 내성적인 성격이었지.
살연 간부 무토 에리오

그런 내가 살연 간부까지 어떻게 올라갔는지 아나?
누구보다 진지하게 해충을 박멸해 왔기 때문이야.

레미, 사람을 죽일 때의 요령을 알아?

아, 진짜? 대박. 멋있다, 오빠.
어이, 너.

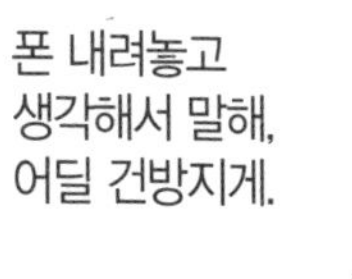

한 번만 더 무토 씨한테 설렁설렁 대답하면 죽여 버린다.
폰 내려놓고 생각해서 말해, 어딜 건방지게.

그럼 마음이 아프지 않아.

그놈을 해충이라고 생각하는 거야.
사람을 죽일 때의 요령은

회장 자리에 앉을 거야, 레미.
언젠가 나는 현 회장인 아사키를 끌어내리고
아, 진짜? 멋있다, 오빠.

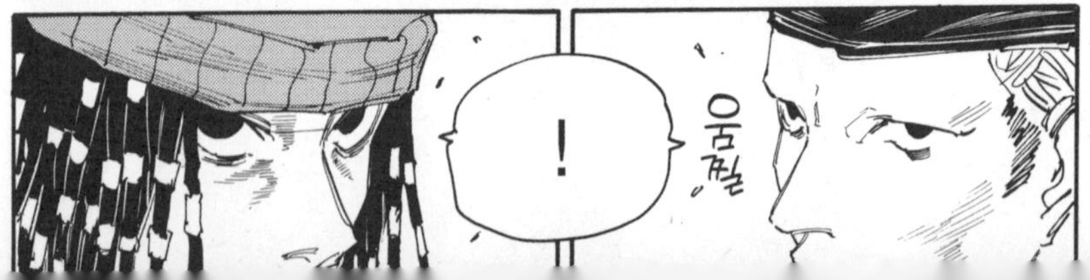

!
움찔

같은
업자군요.

거기서 멈춰.
죽고 싶지 않으면
우로 돌아,
꺽다리.

목숨은 귀히 여겨야지.
자네… 어느 파벌 사람인진 모르겠다만,
알겠습니다.
여기, 생수 하나.
동감이다.
살연 간부인 무토 씨한테 부탁이 있거든.
나와 함께 동료들이 있는 곳으로 가줬으면 해.
난 ×(슬러) 일파의 하루마라는 사람인데

쒸와
아악
절그럭
절그럭
X(슬러)
일파는
생포해야 해.
알아요,
선배.

투
따
따
다
다
다
!!
난 가쿠나
다른 애들처럼
격투기에 능하진
않지만──…
스포츠…
특히
구기 종목은
꽤나 자신
있거든.
무기…?
포환…?
어쩔
셈이지?
후웅
타앙

실내에서
할 짓은
아니군….
후두
두둑.

알았다, 따라가마. 목숨만은 살려줘.
그래? 얘기가 빨라서 좋네.
고마워.
생수 나왔습니다.
으음.
운동하고 마시는 물은 역시 각별해.

쩔어.
대박-

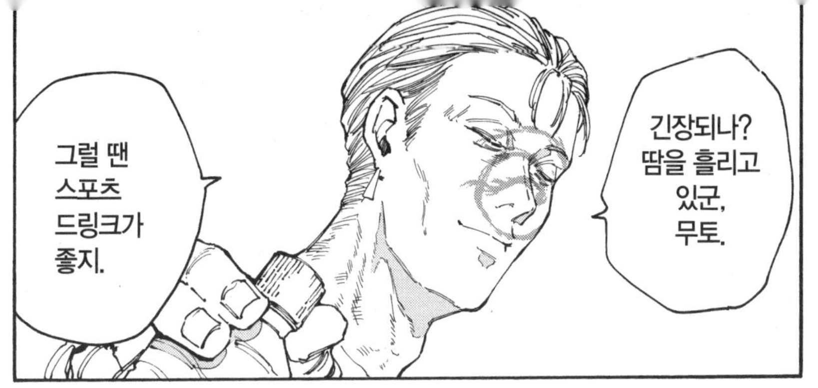

DAYS 140 저마다의 목적

팔
랑

DAYS 140 저마다의 목적

하지만
암살은
불가능할
텐데.

회…
회장이
참석하는 건
분명해.

어…
그러니까

뭐…?!

왜지?

유난히 경비가
엄중해서
이상하다
싶었어….

당일 현장에선
ORDER 넷이
회장을
경호하기로
되어…
있다고 해.

그게…

솔직하게
다 말하면
살려줄지도……

쯧.
그 사슴이겠군.
쓸데없이
나불거리긴.

그냥 갔다간
도리어
당할지도….

아마…
그 계획은
살연 측에
샜을 거야….

걱정할 것
없어.

폭탄은 이미
세팅됐으니까.

우리가
나서는 건

폭탄이 작동해서
놈들이 약해져 있을 때,
숨통을 끊으러
가면 돼.

폭탄…?
뭐라는 거야.
이것들 머리가
없나?!

전람회장은
플로터가 꼼꼼히
체크하고 있어.
쓰레기 하나
놓치지
않는다고.

대단하군!

그럼…
난 뭘 할까…?
돌아가도
될까…?

전람 기간은
3일간.
아사키가 언제,
몇 시에 올지
정확한
행동 패턴을
알고 싶어.

글쎄…
회장이 워낙
변덕스러워서…

살연 간부의
입지를 이용해
알아내 주면 돼.

아…

첫.

시끄러~~~.

너!
날 두고 가면
어떻게!
나 혼자 어떻게
감당하라고!

아,
진짜아
아아아!

우둑

야—
슬슬 보스전이
끝날 것
같은데….

게임하는
동안에만
놀아주기로
약속한 거
알지—?

점멸

이래 갖곤
본방에서
아무것도
못 해.

한 판만
더!!

벌써
다섯 판
째야….

한 판 더
하면
되잖아….

아니,
너네들—

부들
부들

하루마~
더는 못하겠어~.
살려줘~~~.

점점
늘고 있으니
둘 다 이대로
열심히 하자!

끄응.

그리고
알몸으로
얼쩡거리지
말고.

가쿠!
네가 형이니까
너무
툴툴대지 마.

응?

가쿠,
조금만 조용히
놀아줄 수
있어?

예—입.
……
위에서
아키라가
자고
있거든.
· 현 회장 아사키 말살,
· ORDER 괴멸,
· 본부 파괴.
이 세 가지를
전부
달성한 후에
살연을
무너뜨리기 위한
3 스텝.
새 살연의
회장 자리를
약속하지.

이 계획은
네 도움 없이는
성사되지
않아.
협력해
주겠어?
!!

알겠어….
필히
협력하지…!

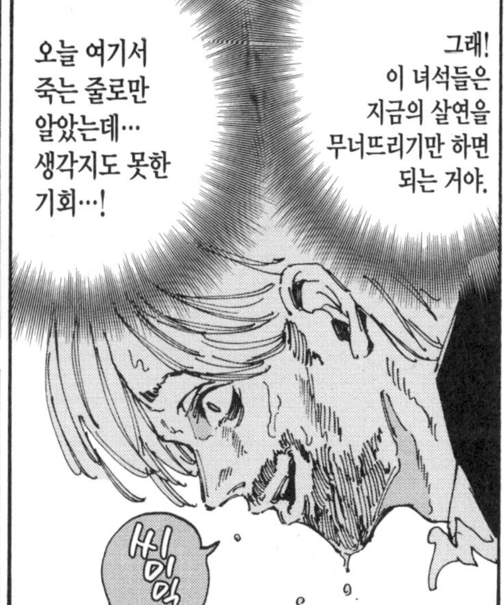

그래!
이 녀석들은
지금의 살연을
무너뜨리기만 하면
되는 거야.
오늘 여기서
죽는 줄로만
알았는데…
생각지도 못한
기회…!

전람회가
기대되는군.

파직
타닥

와
!
들어
갔다…!
오!

펑
아

매일매일…
질리지도
않아?

신,
오늘은
중간까지
괜찮았다.

근데 너무
몰두하는 거
같아.
초조해?

세기의
킬러전이
3일 앞으로
다가왔어….

내가
사카모토 씨의
발목을 잡을 순
없잖아—….

?
신도 충분히
세 보이는데…

○○○

티켓 건은 헤이스케가 다 했으니까….
나도 질 수 없다구―…!
?
…

염려되는 게 또 있어.
응?

녀석들이 꾸민 미술관 폭파 계획의 구체적인 내용을 모르잖아!
• 몇 시에,
• 누가,
• 어떻게 할 건지…
아무것도 아는 게 없어.

엥…?! 설마 다들 아무 생각도 없는 거야…?
어떻게 되겠거니 했지.
그런….

그거야!
아마 하늘에서
포격할 거야!
미술관을
통째로 박살!
그런
조잡한
계획이겠어?!
폭탄을
지닌 놈이
엄청난 스피드로
달려온다…거나.
경비는
놀고
있냐고!
위험했다.
사카모토 씨랑
같은 얘기를
할 뻔….
x(슬러) 일당은
얼굴이
알려져 있으니
전람회장
입장 자체가
불가능할 테고…
게다가
몇백 명에 이르는
경비에,
ORDER까지
있어….
전람
기간 중
미술관은
일본에서
가장 안전한
곳이라 해도
과언이 아닌데
솔직히 우리가
나설 차례가
있을지….
음—
그럼
다행인데….
어쩌지?
어쩔까요?
부들
부들
나…
나라도
정신을 똑바로
차려야 해.
제
억측입니다만.
응?

이제 몸 좀 고치자….
징그러
'폭탄은 이미 전람회장에 설치되어있을 겁니다'.
그랬다 치면 그 폭탄을 어떻게 반입했는데?
미술관을 통째로 폭발시킬 규모의 크기라면
그대로 반입하는 건 불가능합니다만,
파츠별로 나눈 다음, 전시품 등에 섞어 들어와
전람회장에서 조립하면 가능합니다.
일리 있네.
근데 폭탄이 있다 쳐…. 그 넓은 전람회장에서 그걸 어떻게 찾아내?
!
사카모토 씨! 갖고 있는 티켓으로 몇 명 더 갈 수 있을까요?
나, 신, 아마네… 헤이스케는 다쳐서 못 가니까
한 명 더?
어쩌시냐?

강한가?
데려가고
싶은 녀석이
한 명
있어요….
든직한
녀석이죠…!

드디어고마ー.
우리 멋대로
경비를 빽빽이
세워놓으니
다들 수상히
생각하더만.
진짜로
×(슬러) 건을
윗선이랑
공유 안 해도
괘안나?

그러다 중지되면 아깝잖아.
실수했다간 일반인을 몇 명이나 휘말리게 할지 모르는 일 아이가.
아깝다니, 니는―
뭐~? 시시바까지 그런 소리 할 거야?

그리고
그거야말로 피해자가 1, 2천 정도에서 안 끝날걸?
지금 ×(슬러)를 놓쳤다간

우리의 행동 원리는 언제나 심플하잖아.

×(슬러)의
폭파 계획은

어떻게
해서든
저지한다.

세기의
킬러전

아사키는 반드시 죽인다.

목숨과 맞바꿔서라도….

어떤 수단을 써서라도 ×(슬러)는 죽인다.

질서(오더)의 이름으로.

개막.

참말로一
약해빠졌
고마一.
같이
걸게 해서
미안.
이 장면, 사실은
임무를 위해
차로 이동하는 중,
나구모가
멀미를 하는 바람에
차에서 내려
걷고 있는
장면이었습니다.

저는 지금 오쿠타비 신국립 미술관에 나와 있습니다.

이른 시각부터 엄청난 인파를 보이고 있는데요.

세 기 의
킬러
전

오늘부터
사흘 동안
개최되는
〈세기의
킬러전〉은―

실재했던
킬러들의 전모에
다가갈 수 있는
대형 기획전으로

실제로
사용된 무기와
의류부터
수기와 회화에
이르기까지
다양한―…

데이즈
DAYS 141 해후

주목
티켓완판…
핫트렌드
킬러전 첫날부터 대성황
그렇군요~.
대단한 인기를 자랑하며 티켓은 1년 전에 완판,
소문에는 엄청난 가격으로 암거래까지 이뤄지고 있다고 합니다.

정말요~ 의뢰하고 싶은 대상은 누구죠?
있다면 저도 의뢰하고 싶네요.
에이, 킬러가 어디 흔한가요.

그런데 킬러 전람회라니, 좀 무섭지 않습니까?

다음 뉴스입니다.

남편이요.

핸드폰 작작 봐라, 인마.
아, 옙.
세기의 킬러전

정면 게이트 이상 없음.

관내 1F-A 이상 없음.

이 칼 진짜래. 무섭다.
가끔은 이런 곳도 자극적이고 좋네.

엄마, 저거 보고 싶어.

어떤 거?

와—
테디베어도
무기가
되는구나.

살인에 사용된
테디베어

곰 인형
귀여워.

음~
진열장에
빛이 반사돼서
잘 안 보이네….

쾅
ㄱ르릉
릉

……
괜찮아요….
줄게.

에….
오사라기,
니 뭐하나?

시시바 씨…
곰 인형
가질래?
니 맨손으로
꺼냈나?
더러운 걸
만지믄
손을
꼭 씻그래이.
그리고
니 담당구역은
여가 아이다.

회장 일행이
오는 건
첫날 1시간 뒤.

후딱 왔다
퍼뜩 가래이.

우와ㅡ.

줄이 장난
아니네요
…….

그래서
도와주기로 한
사람은?

불러볼게.
야ㅡ.

아니,
큰 소리로
불러야지!

그 녀석한텐
충분할걸?

엥?!
흔들 흔들
저기 오네.
오랜만이다, 카지!
오랜만이군
툭
사람 많은 데서 큰 소리로 부르지 마……
아까 그 목소리가 들렸다고…? 말도 안 돼.
이 녀석은 카지. 나랑 같은 JCC 편입시험 합격자!
응?
짜릿
왜 그렇게 보냐?

시험 이후 입원하는 바람에 늦게 입학하게 됐는데
그 사이 너희 때문에 학교가 엉망진창이 되는 바람에
아직 학교에 한 번도 가지 못했어…….
그 망할 영화감독한테 따져.
미안

갑자기 불러내서 미안하다.
네 힘이 꼭 필요해서.

오늘부터 3일간 중 언젠가
살연 회장이 이 미술관에 올 거야.
×(슬러)는 그 타이밍에 폭발 테러를 일으킬 작정이고.
그 전에 반드시 폭탄을 찾아내서 테러를 저지해야 해!

무계획에도 정도가 있지.
막 나가는 건 여전하구나…….
진짜 프로 킬러였던 거 맞아?
뚱보.
……폭탄은 이미 설치돼 있는 거야?
아니면 적이 갖고 오는 거야?
아무것도 몰라. 되는대로 해야 해.
뭐?
가도 되냐…?
너 가!!
뭐가 먼지 오겠다고!!
닥쳐, 이 멍청아!! 대안도 없으면서 불평만 늘어놓고 말이야!!
뚜루루루루
싸울 거면 줄 서고 나서 해. 시간 아까우니까.
미안.
우탕
으.

뭐냐,
우탕.

지금 좀
바쁜데….

말해두는데,
난 늘 너보다
1,000배는 바빠.
덜떨어진 녀석
같으니.

끊어도
되나?

기다려,
뚱보!

×(슬러)의
이중인격에 대해
이것저것
알아봤는데

너한테
전달해둘 게
있다.

……지금?

상관없지만

1F
고대의
킬러
인파
장난 아니다.
이런 데서
폭발 테러가
일어나면…
카지,
수상한 소리는
안 나?
사람들
이야기 소리,
옷이 스치는
소리,
발소리,
심장 고동
소리…
핸드폰,
공조 장치,
손목시계,
페이스메이커,
감시카메라
등등……
이 구역에서
딱히
부자연스러운
소리는
안 들려.

음—
수상쩍은
마음의 소리도
안 들리고…….

걱정 말라니까!
시험 볼 때
이 녀석 귀 덕을
잔뜩 봤어!

대박—….
진짜잖아….

미안

너 지금
시험했지?!

움찔

쿵열

너무
디테일하잖아
……?
사실일까?

어디까지
믿어도
되지…?

……

진짜
들리는 게
맞나.

카지랑 나는
따로 흩어져서
탐색하자.

아마네는
날 따라오고.

무튼!
이런 식으로
이 잡듯이
뒤지는 수밖에
없겠다!

OK.

근데
아깝긴
하다.

그냥
평범하게
이 전시를
둘러보고
싶었는데.

일본에선
다시 볼 수
없잖아.

야,
아마네.

들고
있...

....

아마네?

미술관엔
위험한 사람이
많네.

저기
혼잣말하는
사람 봤나?

......!

근대의
킬러 구역

관내는
의외로
조용하군.

뭐지?!
이 소리는...

왁!!

틱
틱...틱

!

근데
정말로
폭탄
같은 게...

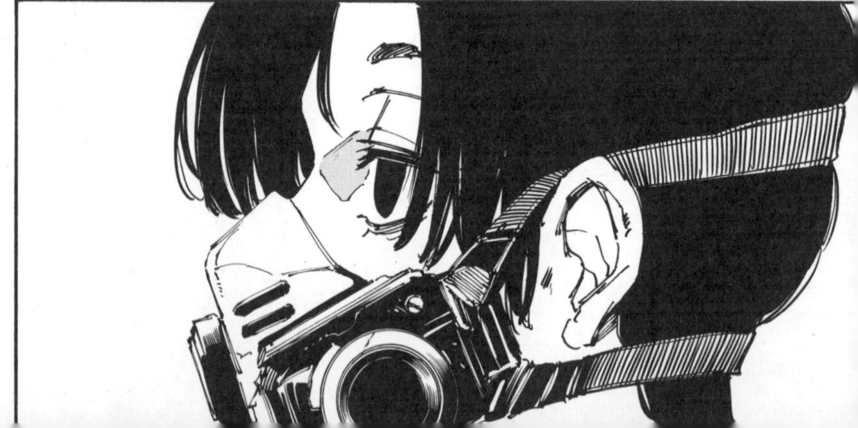

마…
마후유…?

아―….
시험 때…
신이랑
음―…
이름이
뭐였지.

카지다.
아―
맞다,
그랬지.
근데…
왜?

어라…?
신에게
듣기로는
아니,
너야말로
뭘 하고―

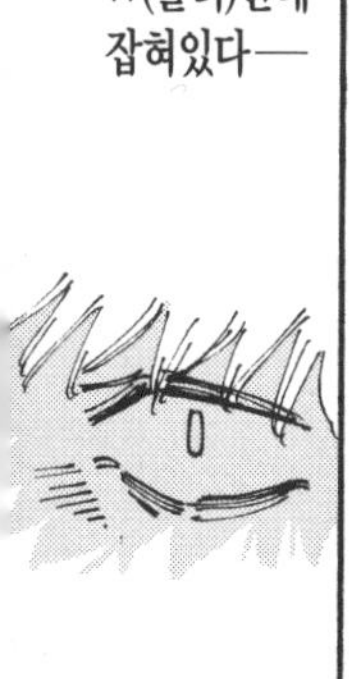

이 녀석 지금
×(슬러)한테
잡혀있다―

이 소리…!
그렇구나….
목을
─…!!
!!!

꺄아아악.
?!
쿵
신!
들리냐….
폭탄은
———….
응?
딱히….
뭐 했어?
미션이나
시작하자.

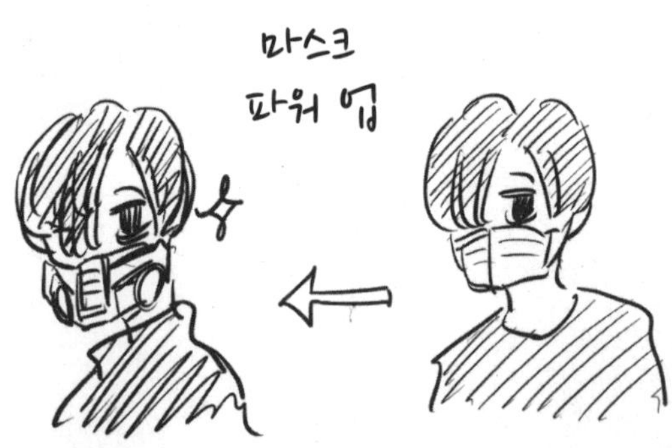
마스크
파워 업

들리냐,
신──…!
커헉….

폭탄은
──…
쿵

KOBAYAKAWA
TOKYO
坂本商店
OSAKA
KYOTO
DAYS
LACQUER

DAYS 142 ×(슬러)의 노림수

SAKA
MOTO
DAYS
사카모토 데이즈

나 참.
사카모토 씨도
그렇고,
아마네도
그렇고
다들 어딜 간
거야~?
!
슬렁
슬렁

카지?!
덥
엇

어떻게 된 거야?!
어쩌다 그랬어?
……큭.
쿨럭.
마후유가
와있어.
뭐?!

폭탄은
마후유야…!

그 녀석
몸속에 심어진
소리를
들었어…….

아니,
그 녀석은
슬러한테
납치당한 게
아니었…

마후유
몸 안에…
폭탄이…?!

이 목소리는…

그 폭탄이라면
걱정할 것
없습니다.

응?!

당신의 핸드폰에 감시 앱을 깔았습니다.

이 망할 사슴 자식이!!

아니, 근데

마후유 몸속에 폭탄이라니, 어떻게 된 거야?!

※사카모토 상점 차고

그의 다리에 심어진 폭탄은 센서에도 감지되지 않을 만큼 초소형이기에—

폭파 규모는 반경 4m 정도.

하지만 괜찮습니다.

그건 숙주가 죽을 때 폭파되도록 프로그래밍 되어 있으니까요.

죽으면 폭파한다고…? 왜 그런 걸….

저희의 방침입니다.

너희의 뭣도 없는 신념에
죽어도 그냥 죽진 않겠단 건가…。
그러고 보니 전에도ー….
마후유를 끌어 들이다니…!!
틱

진짜로 기폭 장치는 없는 거지?!
있기는 합니다만, 기폭 스위치는 제가 관리하고 있기에……
지금은 마후유 군이 자살이라도 하지 않는 이상 폭파되지 않습니다.

뭐, 그 녀석이 자살할 타입은 아니지….
…그럼 역시 진짜 대형 폭탄이 다른 어딘가에 있다는 건가…?
어찌 됐든…

끼익
이이잉
아직 그렇게
멀리 가지 않았다면…!
찾았다.

왜?
아니이~~~
아까부터 계속
얘기했잖아.
야!
야아!
마후유!!

우리
그만두자.
우리가 어떻게
ORDER를
이겨!
이 틈에
둘이
도망치자!

너,
×(슬러)
좋아한 거
아니었어?
살아야
덕질도
하지!!
갈 거면
혼자 가.
계획은
나 혼자
수행할
테니까.
너 정말—
왜 그렇게까지…

마후유…!

너희들… 무사해서 다행이다…….
니네 형도 걱정하고 있어. 돌아가자!

……안 가.
난 오늘 내 의지로 이곳에 온 거야.

…?!
무슨 소리야……?

개폼 잡지 마! 너희는 어차피 ×(슬러)한테 협박받아서—…
방해할 거면

어떻게 해서든 여기서 해야만 하는 일이 있어.

신이라고 해도 안 봐줘.
…!!
금방 끝나.
곧 그놈들이 오잖아!
야아~~~! 잠깐만!! 지금 여기서는 위험해!

억지로 데려가는 수밖에.
아무래도 같이 못 가겠다면
잘은 모르겠지만, 진심인 것 같네……
…

휘익
챙가앙
자유롭게 가져가세요
퍽
푹
쑤욱

무슨
소리지?

배경음으로
무기 소리
같은 게
나오는 거
아닐까?

이 녀석……!
큭……
콰가각
큭……
힉.
…크윽.
버튼을 누르면 움직입니다

이 킬러 인형
엄청
리얼해.

…?!
쇼케이스
안인가?!

이래선
움직일 수
없잖아…

엄마!
이 인형들,
버튼을 누르면
움직인대!!

큐
이
이
잉

달
칵

꾹

?!!

이 전서,
박력 있다.
와ㅡ.
큐이이잉

파삭
쫙
타악
예전의
마후유랑
비할 바가
아냐…!
파워도,
스피드도…
후욱

와우.
하나만 물어보자, 마후유!
.... 딱히 동료가 된 건 아냐….
왜 X(슬러) 쪽에 붙은 거냐?!

×(슬러)가 그랬어.
최단기간에 ORDER가 되는 방법…
그건 ORDER를 한 명 쓰러뜨리는 거라고—.
JCC에서 인맥을 만들어야 하거든….
ORDER가 되려면….
! 그러고 보니 이 녀석, 예전에도 —….

폭탄은 죽으면 폭파됩니다.
아직도 그 소리야?!
넌 ORDER랑 싸워봤자 죽기밖에….
뻔
뜩

지금
정면으로
ORDER와
싸우면

마후유는
틀림없이
죽어.

그게
노림수인
거야.

살해될 것을
전제로
미술관에
보낸 거야…!!

×(슬러)는
마후유에게
심어진 폭탄을
ORDER
근처에서
폭파시키기
위해

끼익..

정말이지…
인파가
엄청나네.

ORDER에게서
마후유를
지키는 것
──…!

이래서야
차분히 전시를
둘러볼 수
없겠어.

PM 01:45
살연 회장 아사키
입관

《사카모토 데이즈》 17권을 기대해 주세요!!

special thanks
이와쿠라 토모히로·이토 세이이치·오오카와 테츠
사와마메 히로토·아유하라 슌·모로·이시카와 소스케

강
한
결
의
와

치
가
운
싱
의
의
가
교
차
한다
!!

신 VS 마후유 VS 오사라기!!

지금
죽어버리면
다 나가리거든요
······

마후유···.

SAKAMOTODAYS 사카모토 데이즈 vol. 17
많이 기대해주세요!!

CHAMP COMICS

사카모토 데이즈 16

2024년 6월 23일 초판 인쇄
2024년 6월 30일 초판 발행

저자 : Yuto Suzuki
역자 : 한나리
발 행 인 : 황민호
콘텐츠1사업본부장 : 이봉석
책임편집 : 조동빈 / 정은경
발행처 : 대원씨아이(주)

ISBN 979-11-7245-349-7 07830
ISBN 979-11-362-8666-6 (세트)

서울특별시 용산구 한강대로 15길 9-12
전화 : 2071-2000 FAX : 797-1023
1992년 5월 11일 등록 제1992-000026호

SAKAMOTO DAYS

www.dwci.co.kr